Apreciados amigos y familiares de los nuevos lectores:

Bienvenidos a la serie Lector de Scholastic. Nos hemos basado en los más de noventa años de experiencia que tenemos trabajando con maestros, padres de familia y niños para crear este programa, que está diseñado para que se corresponda con los intereses y las destrezas de su hijo o hija. Cada libro de la serie Lector de Scholastic está diseñado para apoyar el esfuerzo que su hijo o hija hace para aprender a leer.

- Lector Primerizo
- Preescolar a Kindergarten
- El alfabeto
- Primeras palabras

- Lector Principiante
- Preescolar a 1
- Palabras conocidas
- Palabras para pronunciar
- Oraciones sencillas

- Lector en Desarrollo
- Grados 1 a 2
- Vocabulario nuevo
- Oraciones más largas

- Lector Adelantado
- Grados 1 a 3
- Lectura de entretención y aprendizaje

Si visita www.scholastic.com, encontrará ideas sobre cómo compartir libros con su pequeño. ¡Espero que disfrute ayudando a su hijo o hija a aprender a leer y a amar la lectura!

¡Feliz lectura!

—Francie Alexander
Directora Académica
Scholastic Inc.

Gus cultiva una planta

Frank Remkiewicz

SCHOLASTIC INC.

A Donna

This book was originally published in English as *Gus Grows a Plant*

Translated by Eida de la Vega

ISBN 978-0-545-64610-9

13 12 11 10 9 8 7 6 5 4 3 2 15 16 17 18 19/0

Printed in the U.S.A. 40
First Spanish printing, January 2014

Ha llegado la primavera.

Es hora de plantar.

Gus busca semillas.

Papá cava.

Gus también cava.

Gus planta una semilla.

La semilla necesita agua.

Muy pronto nace una planta.

La planta tiene un gusano.

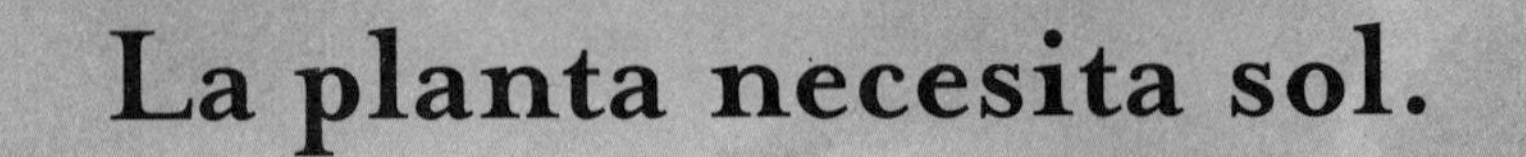

La planta necesita sol.

Necesita más agua.

Y aire puro.

La planta crece.

Y crece.

¿De qué tamaño es?

Es muy grande.

Es más grande que Gus.

¡Espera!

Gus tiene una idea.

¡Gus también crece!